D0262303

YUKIRU SUGISAKI

DEEL 11

PERSONAGES & VERHAAL

WANNEER DAISUKE NIWA ZIJN VERLIEFDHEID VOOR IEMAND VOELT GROEIEN, VERANDERT HIJ IN DARK, DE LEGENDARISCHE SPOOKDIEF. DAISUKE IS EERST VERLIEFD OP RISA, MAAR ZIJ HEEFT ALLEEN OOG VOOR DARK. LATER RAAKT HIJ GECHARMEERD VAN RIKU, HAAR TWEELINGZUS, DIE AL EERDER SMOORVERLIEFD OP HEM WAS. DAISUKE EN DARK GAAN MET DE TWEE ZUSJES NAAR HET PRETPARK AZUMANO JOYLAND, MAAR EEN STROOMSTORING BEDERFT DE FEESTVREUGDE. OP DAT MOMENT VERSCHIJNT EEN NIEUW PERSONAGE TEN TONELE, DAT AAN NIETS ANDERS DENKT DAN AAN WRAAK NEMEN OP DARK: ARGENTINE!

SATOSHI HIWATARI

BUITEN SCHOOLTIJD IS HIJ EEN INSPECTEUR DIE ONDERZOEK NAAR DARK DOET. HIJ KAN VERANDEREN IN KRAD, DE TEGENPOOL VAN DARK. ZIJN WARE ACHTERNAAM IS HIKARI.

RIKU HARADA (DE OUDSTE ZUS)

KLASGENOTE VAN DAISUKE. DARK ONTFUTSELDE HAAR HAAR EERSTE KUS. NU IS ZE STAPELVERLIEFD OP DAISUKE.

TAKESHI SAEHARA

OMDAT HIJ VOORTDUREND OP ZOEK IS NAAR EEN SCOOP, GEBRUIKT HIJ DE CONTACTEN VAN ZIJN VADER, DE COMMISSARIS DIE DARK ACHTERVOLGT.

DAISUKE NIWA

HIJ ZIT IN DE TWEEDE KLAS VAN DE MIDDELBARE SCHOOL (KLAS 2B). HIJ IS 14 JAAR. DOORDAT ZIJN GENEN REAGEREN OP VERLIEFDHEID, VERANDERT HIJ IN DARK, DE SPOOKDIEF.

D·N·ANGEL
DARK
DE BEROEMDE SPOOKDIEF DIE VEERTIG JAAR VERDWENEN WAS. ALS HIJ TE HARD AAN RIKU DENKT, VERANDERT HIJ WEER IN DAISUKE.
ARGENTINE
DIT MYSTERIEUZE PERSONAGE WIL ZICH WREKEN OP DARK. HIJ IS EEN NIEUWKOMER IN HET UNIVERSUM VAN DAISUKE.
WITH
GEZELSCHAPSDIER VAN DE NIWA'S EN HULPJE VAN DARK. HIJ KAN ZICH IN DARK OF DAISUKE VERANDEREN. HIJ IS OOK DE ZWARTE VLEUGELS VAN DARK.
RISA HARADA (DE JONGSTE ZUS)
KLASGENOTE VAN DAISUKE. ZE IS SMOORVERLIEFD OP DARK. DAISUKE VERKLAARDE HAAR ZIJN LIEFDE MAAR ZE WEES HEM AF.

INHOUD

NIWA ...?

STRAKS ONTDEKT RIKU ALLES!

DERDE DEEL
HOOFDSTUK 12

TODOM
NEE!
TODOM
SSS
ZE HEEFT ME DOOR!
NIWA?
NEE, DAT NIET!!

JA ...

... IK HEB ER TOT NU TOE ALLES AAN GEDAAN OM HET GEHEIM TE HOUDEN.

IK WAS VAN PLAN HET HAAR OOIT TE ZEGGEN ...

... MAAR NIET HIER!

NIET ONDER DEZE OMSTANDIG-HEDEN.

caleidoscopische modus

NIEMAND MOCHT WETEN DAT IK DARK BEN!

ZEKER RIKU NIET ...

AAAH
VE SCH KEL
WAAROM HEB JE DAT NOOIT GEZEGD ?!
DA'S AFSCH WELIJ
Vanaf het begin ...
DIE VIES-PEUK ...
... WAS JIJ DAT, NIWA?!
GWAP
OH...
IK... IK...
HET SPIJT ME!
ZE ZAL ME HATEN!
...
NIWA?
HET SPIJT ME, RIKU!
IK WOU ECHT GEEN GEHEIMEN VOOR JE HEB-BEN. IK WAS VAN PLAN HET EEN KEER TE ZEGGEN...
IK... IK ZAL HET UITLEGGEN.
IK DACHT DAT JE GESCHOKT ZOU ZIJN.

OP DIT MOMENT KAN IK MOEILIJK AAN JE VRAGEN OM NIET IN PANIEK TE RAKEN ...
MAAR RAAK NIET IN PANIEK!
ALSJEBLIEFT, LUISTER NAAR ME!
...
STILTE
WAAR HEB JE HET OVER, NIWA?
WAT?
JE ...
... NOEMDE ME...
... "NIWA"?
NATUURLIJK.
Niwa.
Huh?

PAT
IK BEN MEZELF!
EN NIET DARK!
IK BEN TERUG-VERANDERD!
!
TAC
!
VOOR JOU ...
NA-TUUR-LIJK!
DE ARM-BAND ...
JE KUNT HEM ÉÉN KEER GEBRUIKEN ...
... OM WEER JEZELF TE WORDEN.

DAAR-DOOR HEB IK MEZELF NIET VER-RADEN.
GERED DOOR DIE MAFKEES VAN EEN KOSUKE!
ECHT-GÊNANT!
EN? WAT ZEI JE?
WAARDOOR ZOU IK GESCHOKT ZIJN?
AH!
SLIK
RI... RIKU. IK GA IEMAND ZOEKEN DIE ONS KAN HELPEN.
WACHT HIER OP MIJ.
WAT?! MAAR, NIWA!
NEE! NIETS! DAAR HEBBEN WE 'T LATER NOG WEL OVER!
een vol-gende keer!
WE ZITTEN OP HET WATER. PAS TOCH OP!
BADAM

HYERK!
Dat bedoelde ik.
KYAAH!
NIWA?! ALLES GOED?!
HIJ NEEMT WEL DE TIJD ...
DARK.
HIJ ZEI DAT HIJ VLUG TE-RUG ZOU KOMEN ...
KNAP VERVELEND OM ZO ALLEEN TE WACHTEN!
!

DA'S WAAR! RIKU!
ALS ER MAAR NIETS GEBEURD IS.
NIWA IS BIJ HAAR, DUS DAT ZIT WEL GOED.
FSS
SOMS DENK JE DAT ALLES GOED GAAT ...
SHH
!

DARK
...?
KWIJT.

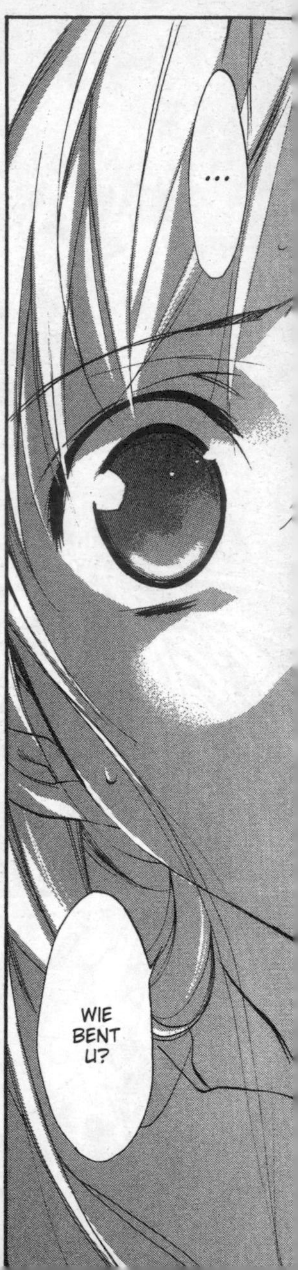
...
WIE BENT U?

MIJN NAAM ...
... IS...
... ARGENTINE.

BEN JIJ...
... DE HEILIGE MAAGD MET DE ZWARTE VLEUGELS?

!!
DAI-SUKE!
HÉ!! DAI-SUKE!
WE MOETEN VLUG TERUG NAAR RISA!
DARK?!
WAT?!
NU AL...?
NEE! RIKU IS ER OOK NOG! WE BLIJVEN HIER!
NIET TEGEN-STRIBBELEN! WEGWEZEN!
LATER KUN JE WEER FLIKFLOOIEN MET RIKU.
TWITCH
TWITCH
MAKKELIJK GEZEGD!

IK HEB EEN AKELIG VOORGE- VOEL.
DAT IS DE KRACHT VAN DE HIKARI'S !
IK ZEI TOCH DAT IK DAAR- NET MAGIE VOELDE?
...
GNN ...
RIKU ...
JA?
DEZE KEER GA IK ECHT HULP HALEN!
WAT? WACHT NOG EVEN ...
NIWA!
TAM

WITH!
LET OP
RIKU!
KYOU!
TAP
TAP
TAM
HARADA
...
IK
KOM
!
... IK KOM
ER AAN, DUS
WACHT OP
MIJ!
...

ZWARTE ... VLEUGELS ...?
WAT?
WAT BEDOELT HIJ?
WAAR HEEFT HIJ HET OVER?
HM?
JIJ BENT ANDERS DAN DE VORIGE ...
... JE LIJKT OP HAAR, MAAR JE BENT KWETS-BAARDER.
ZE MAAKTE MIJN SCHEP-PER BANG.
BOM
NEE! BLIJF STAAN!
IK HEB JOUW VRAAG BEANT-WOORD.

IK ZEI JOU MIJN NAAM.
WAAR HEBT U HET OVER?!
NU IS HET JOUW BEURT ...
... OM MIJ ANTWOORD TE GEVEN.
BLIJF STAAN!
BLIJF STAAN, ZEI IK!
BEN JIJ...
... DE HEILIGE MAAGD MET DE ZWARTE VLEUGELS?

ALS U OOK MAAR IETS PROBEERT, GIL IK!
H!!!!!!!
!!
CHOP
IN IEDER GEVAL ...
... LIJK JIJ ...
... "BIJZONDER" ...
... VOOR DARK.
DANKZIJ JOU...

... KAN IK MISSCHIEN EINDELIJK "ZWARTE VLEUGELS" WORDEN.
HAA
HAA
HAA
HARADA!
HAA
HAA

HELP ME, DARK!!
TAK
HAA
HAA
OEF!
GWIP
HA...
...HARA-DA!

HARADA?!
BAM
DARK! ZE IS ER NIET MEER!
HARADA?! WAAR BEN JE?

Beste Dark,
ik heb je heilige maagd meegenomen.
Met vriendelijke groet,
Argentine
SSS
EEN KAARTJE?!
Met vriendelijke groet,
Argentine
ARGENTINE?

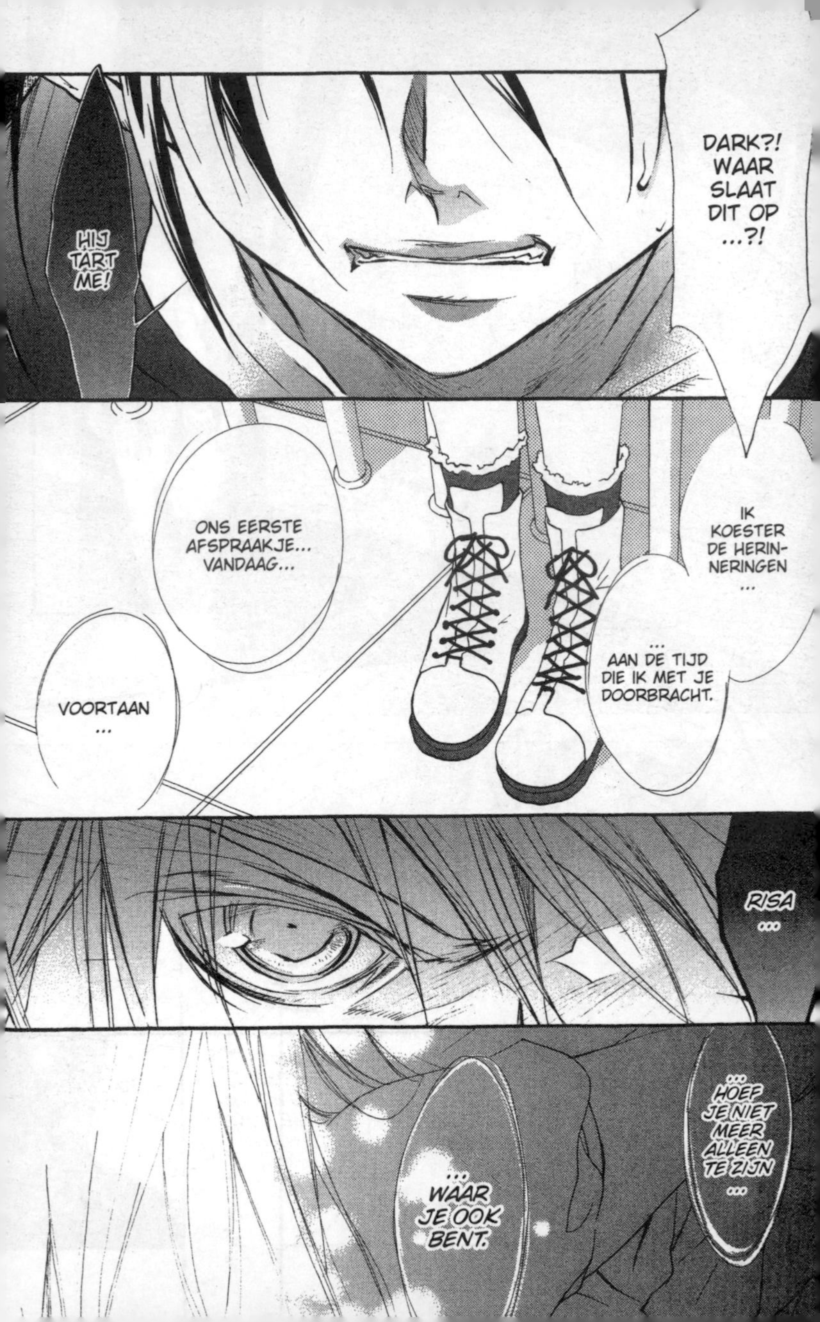
DARK?! WAAR SLAAT DIT OP ...?!
HIJ TART ME!
IK KOESTER DE HERINNERINGEN ...
... AAN DE TIJD DIE IK MET JE DOORBRACHT.
ONS EERSTE AFSPRAAKJE... VANDAAG...
VOORTAAN ...
RISA ...
... HOEF JE NIET MEER ALLEEN TE ZIJN ...
... WAAR JE OOK BENT.

RISA!
ZE IS ONT-VOERD!
IK ZAL OP JE WACHTEN!
EN DENK EROM DAT JE ME KOMT HALEN!
IK ZAL JE MIJN LIEFDE GEVEN ! ...
KSHAAA

OMDAT
...
JIJ HET
ZAL ZIJN.
ZAAA

FLAP
VER-
DOM-
ME!
FLAP
HIJ
TART
ME!

DIT ZAL IK HEM ...
ZRISH
KAKLANG
... NOOIT VER-GEVEN !!

WOOOO
BL
TSAC
TSAC
BLAH
TSAC
'T IS ZOVER!
HET PARK HEEFT WEER STROOM!

HÉ!
WE BEWEGEN WEER.
...
RIKU?
FSHA
IK VOEL ME NIET LEKKER ...
WAT?
AL... ALLES GOED, RIKU?
BIP BIP
BIP
EEN BE-RICHT.
FSAP
EVEN KIJKEN.
VAN RISA
MOCOMO
VAN RISA?
WAAR SLAAT DIT OP?
ER IS GEEN TEKST!

NIWA!
VLAM
ER IS
IETS MET
RISA GE-
BEURD.
COM-
MAN-
DANT!
TAP
HEEFT
DARK
...
...
DE STROOM
WEER INGE-
SCHAKELD?

☆ HOOFDSTUK 12 ☆ EINDE

DERDE DEEL
HOOFDSTUK 13

HET IS DARK!
HIJ IS HIER!
DE POLITIE?!
WAT DOET DIE HIER?!

WE HEBBEN DARK GE- VONDEN!
WAAH
DE TIP KLOPTE! GRIJP HEM!
GRM...
VER- REK!
FLAP
HIJ GAAT ERVAN- DOOR!
DOE DAN IETS! GRIJP HEM!
HIJ MAG NIET ONT- SNAPPEN!
WOAH!

LAAT ME MET RUST!
IK HEB GEEN TIJD OM MET JULLIE TE SPELEN!
TAP
DAAR GAAT HIJ!
TAP
TAP
VOLG HEM!
VER-DOM-ME!
DAT HEB IK W...
TODOM
!!

!
GRAHF
IK NEEM WEER ...
TODOM
NEE ...
TODOM
... DE GEDAANTE VAN DAISUKE AAN!
TODOM

S...
SHIT!!
NIET
NU!!
FLAP
HIJ
VALT!
WE
HEBBEN
HEM!
ZASH

PLAF
DARK!
TSAK
WE HEBBEN H...
!
OH...
...
EH...

EH... IS DARK HIER TERECHTGEKOMEN?
NEE, HIJ IS ER NIET.
HUH? MAAR...
J...
VERSPREIDEN!
JULLIE KIJKEN RECHTS!
HIJ MOET HIER ERGENS ZIJN!
JA!
TAP
TAP!
JA!
PAT
ZIJN JULLIE DOOF OF ZO?!
GA ERGENS ANDERS ZOEKEN, EN LOOP MIJ NIET VOOR DE VOETEN!
......
HET IS... FIJN...

... OM TE ZIEN ...
HAA
... DAT HET GOED MET JE GAAT.
DE...
... MANIER WAAROP JE VERTROK ...
HAA
KRAK
... BAARDE ME...
... WEL ZORGEN.
HAA
HAA
MAAR IN MIJN HART ...
... WAS IK NIET ECHT ONGE-RUST ...

... WANT IK WIST ...
... DAT WE ELKAAR TERUG ZOUDEN ZIEN.
HIWATARI.

NGUH
NNG
IK MOET VLUG...
NNG
... HARADA GAAN REDDEN ...
NNG
NIWA!
NIWA !!
NIWA !!
WAT IS ER MET JE ?!

HARADA ...
... IS ONT-VOERD!
IK MOET ...
HARADA!
DAARTOE BEN JE NIET IN STAAT, NIWA.
DARK HEEFT DE STROOM INGESCHAKELD, EN DOORDAT JE JE VLEUGELS HEBT LATEN GROEIEN BEN JE UITGEPUT.
... REDDEN !!
DAT IS EEN TE ZWARE LAST ...
... VOOR EEN MENSELIJK LICHAAM.

JE MOET JE NU NIET MEER BEWEGEN.
GNN
DARK!
NEE, IK SCHEEL NIETS.
VLUG!
HARADA ...
NIWA!
SHAA
IK MOET HARADA VINDEN ...
NIWA!

AAAA...
AAAAH!
NIWA, HOU OP!
!!
HOU OP!!
GEEN VLEU-GELS!
AAH...

DAN VERLIES JE DE CONTROLE OVER JE LICHAAM!
DAN ONTKETEN JE EEN WEZEN DAT JE NIET MEER KUNT BEHEERSEN!
WAT HEB JE AAN VLEUGELS DIE JE NIET GEBRUIKEN?!
DENK NA!!
ALS JE ZO DOORGAAT...
...WORD JE NET ALS IK!
!!
...
!
HIWA...
...TARI...
WAAROM...
...HELP JE...
...DARK EN MIJ?
JE VERGIST JE.
IK HELP JULLIE NIET.

IK WIL DA GRIJPE ...
... OP MIJN MANIER.
MEER NIET.
HA HA!
HET IS ... FIJN ...
HAA
... OM TE ZIEN ...
... DAT JE NIET BENT VERANDERD ...
HAA
IK KAN NIET MEER ...
MIJN KRACHTEN ...
NIWA ...

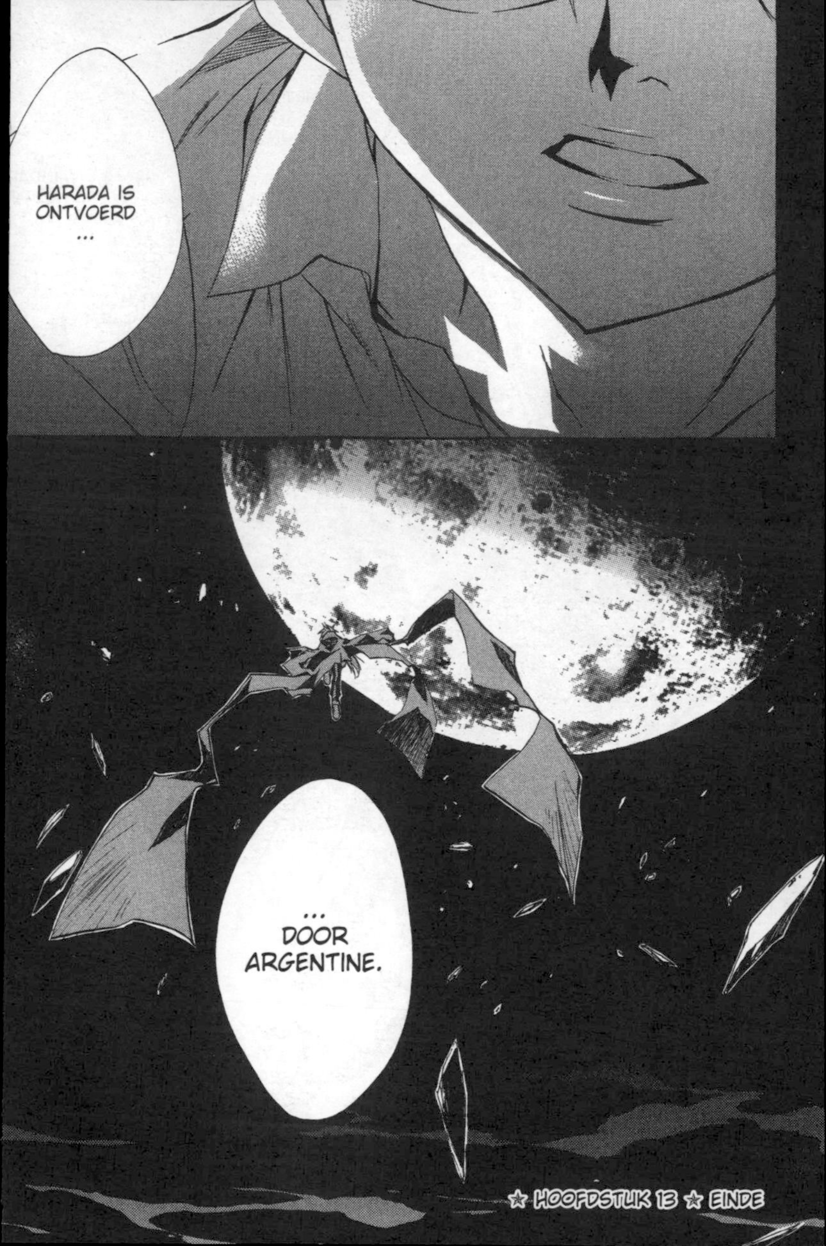
HARADA IS ONTVOERD ...
... DOOR ARGENTINE.
☆ HOOFDSTUK 13 ☆ EINDE

IK HAD DE INDRUK
...
... DÁT HARADA HUILDE.
DERDE DEEL
HOOFDSTUK 14

DERDE DEEL
HOOFDSTUK
14

"HIJ" ZEI HET.
ZIJ DIE NIET VOLMAAKT ZIJN, ZOEKEN DE PERFECTIE.
TERWIJL ...
... ZIJ DIE VOLMAAKT ZIJN, NIET SUPERIEUR ZIJN AAN HEN DIE ONVOLMAAKT ZIJN.
BEGRIJP JE DAT?
VOOR JOU...
... "HELP" ...
... BETEKENT DAT...

HELP, NIWA!!
!!
HARA-DA?!

HARA-DA!
NIWA!
WAAR BEN JE?!
HARA-DA!!
HELP ME!
HARADA...
HAAA
HA

...
HARADA?
WAT IS ER...?
JE BENT NIET GEKOMEN.
HOE HARD K OOK RIEP...
... JE KWAM ME NIET HALEN, DARK!

GEH
RIKU
!!?
MAAR ...
HÈ?
HÈ?
WAAROM NOEM JE ME DARK?!
POM
WEL ...
Da's mijn naam
... DA'S LOGISCH!
?!
?!

SORRY, PARTNER. ♥
IK NEEM RIKU.
Vaarwel, Niwa.
Ik heb een dochter.
Geweldig...
...NZAI!-
...NZAI!
DING
DONG
Ik heb verloren ...
WAT?!
WAT BEDOEL JE?!

WAT ?!
DÀÀÀG!
RIKU KIEST VOOR... DARK.
KLANG
KLANG
KLANG
KLANG
DIT IS EEN NACHT-MERRIE!
IK DROOM, DAT KAN NIET ANDERS!
DIT IS EEN NACHT-MERRIE !!
RIKUUU...
...UUU...
SNIK

!!
LIEVERD!
IK WAS ZO ONGERUST.
JE SLAAPT AL TWEE DAGEN!
HOP
EINDELIJK OPEN JE JE OGEN!
OI
OI
OI
MA... MAMA?
HEB IK TWEE DAGEN GESLAPEN?
KO-SUKEEE!
BEN IK ... THUIS?
PAPAAA!
AISUKE IS WAKKER!
DAI-SUKE!
uitgeput...
JE BENT WAKKER ...
WE WAREN O ONGE-RUST!

PAPA... GROOTVADER ...
... HOE BEN IK THUISGEKOMEN?
AU!
BLIJF LIGGEN, DAISUKE!
FSAF
FSAF
JE BENT FLAUWGEVALLEN ...
... TWEE DAGEN GELEDEN, IN AZUMANO JOYLAND.
ik heb je heilige maagd meegenomen.
WANT IK...
... ZAL OP JE WACHTEN!
EN DENK EROM DAT JE ME KOMT HALEN!
DA'S WAAR!

HARADA ...
HARADA IS ONTVOERD!
IK MOET HAAR GAAN ...
!
OEF ?!
DAI- UKE!
WAT IS ER MET ME?
DIT IS NIET NORMAAL ...
MIJN LICHAAM ...
...
IK HEB GEEN KRACHT MEER!
...
ARGENTINE ...
ODOM
!

IN JE SLAAP HERHAALDE JE ALSMAAR ZIJN NAAM.
DAAROM HEB IK INFORMATIE GEZOCHT.
... WERD GEMAAKT ...
... TIJDENS DE ALLERLAATSTE PERIODE.
ARGENTINE ...
MAAR NIEMAND HEEFT HEM OOIT GEZIEN.
NIWA ...
HET IS EEN KUNSTWERK VAN DE HIKARI'S.

HARADA IS ONT-VOERD ...
... DOOR ARGENTINE.
ARGEN-TINE...
...!
WAP
EN RIKU DAN?!
IS ALLES GOED MET RIKU?!
.....
MAMA?!

DIE LIEVE RIKU ...
KORT NADAT JE HAAR ACHTER-LIET...
... IN AZU-MANO JOY-LAND ...
... WERD ZE ONWEL, WAARSCHIJN-LIJK OP HET MOMENT ...
... WAAROP RISA WERD ONTVOERD.
ZE RAAKTE BEWUSTE-LOOS...
... EN ZE HEEFT HAAR OGEN NIET MEER OPENGEDAAN.

EEUWIGHEID WAAKT OVER HAAR.
MAAR OMDAT ZE EEN TWEELING ZIJN...
... S HAAR VER- NDENHEID MET SA BIJZONDER GROOT.
IK MOET ...
... ZE ALLEBEI REDDEN!
GNN...
HARADA GELOOFT ZO IN JOU, DARK ...
... EN DUS N MIJ.
ZELFS RIKU ...
... NDERGAAT ARVAN DE EVOLGEN.

WAT MOET IK DOEN?!
WACHT, DAISUKE
IK GA HARADA REDDEN!
JE BENT TE ZWAK! WAAR WIL JE NAARTOE?
WACHT, DAISUKE! DARK...
BA
WEET IK NIET, MAAR ...
... IK MOET IETS DOEN!
DARK ZAL ME HELPEN!
ANDERS IS DE HARADA-TWEELING ...

DAI-
SUKE.
LUIS-
TER.
DEZE KEER KUN JE NIET GEBRUIK MAKEN VAN MIJN KRACHT.
DARK ?!
☆ HOOFDSTUK 14 ☆ EINDE

DERDE DEEL
HOOFDSTUK 15

DAI-SUKE.
LUISTER.
DEZE KEER KUN JE NIET...
...GEBRUIK MAKEN VAN MIJN KRACHT.
WAT?!
WAT BEDOEL JE DAARMEE?!
VER-DORIE!
WAT EB JIJ PEENS ?!
JOUW GEVOELENS ...

... ZIJN INSTABIEL, EN IK MOET ME DAARTEGEN BE- SCHERMEN.
MIJN ...
... MIJN GEVOE- LENS?
ONLANGS ...
... RIEP JE ZELF MIJN VLEUGELS TEVOOR- SCHIJN.
JOUW WOEDE ...
... WEERKLINKT DIEP IN MIJ.

NU...
... HEB JE MIJ NODIG TERWIJL JE ALLEEN DOOR WOEDE WORDT GELEID...
... EN JE WEET WAT DE NEVEN-EFFECTEN ZULLEN ZIJN.
P DEZE
ANIER
...
... WORD JE...
... ONVER-MIJDELIJK NET ALS HIJ.
!
HIWA-TARI ...

DAI-
SUKE.
WAT
ZEGT
DARK?
VAN-
WEGE
MIJN
TOE-
STAND
...
... MOET
HIJ
ZICH
TEGEN
MIJ BE-
SCHER-
MEN.
EN
DAAROM
...
...
ZAL HIJ
ME NIET
HELPEN.
VER-
DOMME
...
DIT
KUN JE
ME NIET
MAKEN,
DARK!
HARADA
IS ONT-
VOERD!
EN
RIKU
...
GEEF
HET NIET OP,
DAISUKE.

PAPA.
DAISUKE... VOOR JOU IS HET MISSCHIEN NIET MEER BIJZONDER.
MAAR VOOR MIJ IS HET DAT NOG STEEDS WEL ...
... ALLES WAT MET HET BESTAAN VAN DARK VERBONDEN IS.
DARK VER-SCHIJNT IN REACTIE OP VERLIEFDE GEVOELENS.
WAT BETEKENEN ZIJN GEVOELENS IN DAT GEVAL PRECIES?
VAN NATURE ...
... ZIJN HET POSITIEVE EN ZUIVERE GEVOELENS, GERICHT OP DE TOE-KOMST.

EN VERDER ...
... BEZITTEN ZE EEN GROTE KRACHT.
DAT BETEKENT DAT WANNEER ...
... JE DIE GEVOELENS ERVAART ...
... DARK JOUW LICHAAM KAN VERLATEN ZONDER JE TE VERWONDEN.
ZO BEGRIJP IK HET TENMINSTE ...
... WANT DARK ZAL ONS NOOIT DE WARE VERKLARING GEVEN.

ZO WAS HET MET JE GROOTVADER.
ZODRA HIJ EEN ASTE RELATIE MET IEMAND KREEG, HIELD DARK OP TE VERSCHIJNEN.
ZOALS WANNEER VERLIEFDHEID VERANDERT IN WARE LIEFDE.
DIE LIEFDE HEEFT NIET MEER DE HEVIGE KRACHT VAN HET BEGIN.
MAAR HIJ IS WEL DUURZAMER.
HIJ MAAKT HET HART TEGELIJK STERK EN FLEXIBEL.
ZO DENK IK ER TENMINSTE OVER.
KOSUKEEE

DAISUKE ...
... OM DARK TE BEREIKEN MOET JE DE SLEUTEL VERANDEREN.
ZOLANG JE DAARMEE BEZIG BENT, KUN JE DE DEUR DIE NAAR HEM LEIDT, NIET OPENEN.
HET GAAT NIET OM WOEDE ...
... MAAR OM DE LIEFDE VOOR IEMAND.

IK BE-
GRIJP
HET.
ZOLANG IK
E GOEDE SLEUTEL
ET HEB GEVONDEN,
KAN IK NIET OP
DARK REKENEN.
IK ZAL
...
... HARADA
EN RIKU ZELF
MOETEN
REDDEN!

WAT IS DAT ...
... VOOR GELUID?
MUZIEK?
HET IS...
... ZO DROEVIG ...
!
TAC
TWIET
TWIET

ZIEZO.
JE BENT WAKKER.

TAM
WIE ...
... WIE BENT U?
TAP
TAP
TAP
NEE ...
BL... BL...
BLIJF STAAN!
IK ZEI ...
CHOP

KRASH
BLIJF STAAN !!
OH...
KLING
S... SORRY ...

SWUP
SHOCK
KYAAH!
FSSH
FSSH
FSSH

!
HIG
VOND JE HET NIET MOOI?
DE MEN-SEN ...
... HOUDEN ER TOCH VAN OM DOOR MUZIEK GEWEKT TE WORDEN?
DAT ZEI MIJN SCHEPPER.
...

MISSCHIEN LIJKEN MIJN KLANKEN NIET OP MUZIEK ...
WAAR HEBT U HET OVER?!
TAP
!!
RITSEL
WAP
GEEF ANTWOORD! WAAR ZIJN WE?!
WAT...?
BLOOS
WAT DOE IK HIER?

WAT IS DIT ...
... VOOR UITMONSTERING ?!
IK HEB JE VERKLEED.
JE ANDERE KLEREN ...
... WAREN NIET VROUWELIJK GENOEG.
DIE STONDEN JE HELEMAAL NIET.
...!
TAP

BLAM
ZEI HIJ DAT ECHT TEGEN JE?
DAT DEGENE DIE RISA ONT-VOERDE ...
WAT VOOR VAL-STRIK ...
... SPAN-NEN DE HIKARI'S VOOR ONS?
HIWA-TARI ZOU NOOIT ZOIETS DOEN!
NEEM JE HET WEER VOOR HEM OP?!
...?
... ARGENTINE HEETTE?
JA.
KOSUKE?

'T IS VREEMD.
CRAC...
WAT?
N... NEE ...
ARGENTINE ...
... IS HET ONTWERP VOOR EEN KUNST-WERK ...
... DAT IS AFGE-KEURD.
☆ HOOFDSTUK 15 ☆ EINDE

ARGENTINE IS HET...
... ONTWERP VOOR EEN KUNST- WERK DAT IS AFGE- KEURD.
N... NEE ...
DERDE DEEL
HOOFDSTUK 16

DERDE DEEL
HOOFDSTUK
16

Dit is een virtuoze goochelaar en een expert in toverringen.

...
EEN AFGEKEURD ONTWERP?
ARGENTINE?
VOLGENS DE POVERE INFORMATIE DIE WE OVER HEM HEBBEN ...
... IS HET EEN KUNSTWERK DAT NIET BESTAAT.
DAT NIET BESTAAT ...?

ARGENTINE IS VERNIETIGD ...
... DOOR ZIJN SCHEPPER.
...
DAT WIL ZEGGEN: DOOR EEN HIKARI.
ER IS GEEN ...

TAP
TAP

SHH
DAT KAN NIET ...
MAAR ...
... WAAROM?
WAT IS HIER AAN DE HAND?

... VAL JE BENEDEN TE PLETTER.
MENSEN ZIJN ZO KWETSBAAR.
PAF
LAAT ...
LAAT ME LOS!!
KOM NIET DICHTERBIJ!
ALS U NOG EEN STAP ZET...
... SPRING IK!

...
'T IS GOED.
IK KOM NIET DICHTER-BIJ.
...
HÈ?
SPRING ALSJE-BLIEFT NIET.
IK...
... HEB JE ABSOLUUT NODIG.

IK WIL "ZWARTE VLEUGELS" WORDEN.
WAT MOET IK DOEN?

HM
...
RI...
SA...
...
!
RIKU!
BEN JE
WAKKER
?!
HOE VOEL
JE JE?!
MM...

OEF! JE HEB GEEN KOORT MEER. IK WA ZO ONGERUS ...
MAMA ...
IK HAD ZO'N RARE DROOM.
IK DROOMDE OVER DIE KEER ...
... TOEN RISA EN IK WAREN GESCHEIDEN.
!!
VERDORIE! RISA!
WAP
HOE GAAT HET MET HAAR?
EN NIWA?!

...
MAAR ...?

WAAROM BEN IK THUIS?
IK WAS IN AZUMANO JOYLAND ...

WAAR IS RISA?!
RISA ...
... IS SPOORLOOS VERDWENEN.
DE POLITIE IS NAAR HAAR OP ZOEK.
MAAR VOOR-
-OPIG ZONDER RESULTAAT.

WE WAREN DAAR ALLE-BEI...
ZE IS VOOR HET LAATST GEZIEN DOOR EEN MEDEWER-KER VAN HET REUZENRAD.
NA DE STROOM-STORING ...
... VONDEN WE HAAR TAS EN GSM ...
... MAAR ER ZAT NIEMAND MEER IN DE CABINE.
RISA ...
NEEE ...
... VERDWENEN?!
RISA
Menu

TAC
IK GA HAAR ZOEKEN!
RIKU!!
DA
BA
WAA...
BOM
...ÄAAA...
...ÄAAH!
OE-OEH...
WIND JE NIET ZO OP!
JE BENT NET WAKKER! BLIJF RUSTIG LIGGEN...
MAAR...

OH.
RIKU WERD NET WAKKER.
WAT?!
RIKU?!
EN HARADA DAN?!
... IK VOEL HET.
RISA ...
... WORDT GEVANGEN-GEHOUDEN.

HUM
...
IK KOM ER MAAR NIET ACHTER!!
GNNNN
IETS HOUDT ME TEGEN ...
ER IS GEEN DOORKOMEN AAN.
AR
... DE TWEELING ...
... IS VERBONDEN DOOR EEN STERKE KRACHT.
HET GAAT DUS GOED MET RIKU?!
DUS ALS RIKU HAAR GAAT ZOEKEN, HEEFT ZE MISSCHIEN EEN KANS.
JA, MIN OF MEER, ZE IS NOG NIET IN TOPVORM.
ECHT WAAR ?!

MOO
IK GA NAAR RIKU!
CLAC
HÉ!
DAI-SUKE!
TAK
JE BENT ER WEER IN GELOPEN, DAISUKE!
MAMA!
had me even gewaar-schuwd!
HO
HO
HO
HO
HO
HO
HO

DING
HÈ?
DONG
DING
DONG
DING
DONG
DING
DONG
VER-DOM-ME!
DING
IN DIT HUIS ...
... DOET ER NOOIT IEMAND OPEN!
DOOONG
★ HOOFDSTUK 16 ★ EINDE

DERDE DEEL
HOOFDSTUK
17

DING
DONG
DING
DONG
DING
DONG
OEF!
FLOP
HUFFFF
AHOY! KAPITEIN!
DAISU-KEEEE!
K KOM KIJKEN HOE ET MET E GAAT, TOMME EZEL!!

CLAC
ANTWOORD!!
DAISUKEEEEE!
IK KOM NAAR BENEDEN.
OH.
JE HOEFT NIET ZO TE GILLEN!
NEGEN!
ACHT!
WAT MOET DAT VOOR-STELLEN ...
TAP
... DAT AFTEL-LEN?
TAP
ZEVEN!
VIJF
TAP TAP TAP...
BAOM
WAAR BLIJFT HIJ?
VIER!
DRIE!
TWEE ...

SMILE
EEN ...
HALLO, DAISUKE!
CLAC
COOL, ZEG!
JE BENT WEER HELE-MAAL OPGE-KNA...
...
HFFFFF
HAAAAAA
HFFFFF
HAAAAAA

JE ZIET
ER WEL
"ACHTERLIJK"
MOE UIT!
Waarom trek je zo'n gezicht?
WAT BEDOEL JE MET "ACHTER-LIJK"?
DAG, TAKESHI.
!
OH!
DAG, MEVROUW. SORRY DAT IK U STOOR.
FWHISH
DA'S LANG GELEDEN.

TWINKEL
LAAT HEM MAAR BINNEN, DAISUKE.
IK ZAL THEE VOOR JULLIE ZETTEN.
EH, NEE...
... DOE GEEN MOEITE.
Schit-tering
TOCH, DAISUKE?
PAF
PAF
FWISH
OH.
TROUWENS ...
... HOE GAAT HET MET JE VADER?
HUH?
?
N OUWE-
ER... EH,
N VADER
AAKT 'T
PRIMA...
ZWIP

JA? MOOI ZO.
DOE HEM DE GROETEN VAN MIJ.
G... GOED.
OH.
MAMA HEEFT DE FOTO-TOESTELLEN VAN SAEHARA GEPIKT.
Ze is vlug...
TOT STRAKS VOOR DE THEE!
NEE! DOE GEEN MOEITE!
OH!
OLALA! JOUW MOEDER ...
FLIRT
Ze verandert niet.
ALTIJD EVEN MOOI!
O JA?
Ze maakt me soms bang.
OLALA! WAT EEN FAMILIE ...
...
WANNEER IK DENK AAN M'N OUWEHEER DIE ME OP M'N FALIE GEEFT.
Een en al treurnis.
BIJ ONS THUIS IS HET EEN SMERIGE TROEP ...

... 'T LIJKT DAAR WEL DE HEL!!
Takeshi! Waar zijn mijn onder-broeken?
un je die et voor een keer zelf inden, ouwe sukkel?!
NU JA.
'T IS NIET ANDERS.
GAAT 'T GOED? ECHT WAAR?
HUH?
JE BENT VANDAAG NIET NAAR SCHOOL GEWEEST.
OH!
SLIK
EH... IK... IK WAS VERKOUDEN...

MAAR... 'T GAAT BETER.
PRIMA!
DE MEDICIJNEN HELPEN GOED.
HAHAHA!!
MOOI ZO.
WANT DE HARADA-TWEELING KWAM OOK NIET NAAR SCHOOL.
DUS DAAROM VERMOED IK IETS.
GRRR
DAISUKE ...
... JE VERZWIJGT IETS VOOR ME.
WAT?
JE HAD EEN AFSPRAAKJE MET RIKU EN JE HEBT ME ER NIETS VAN GEZEGD!
RAAAAAH
IK HEB JE NIKS VERZWEGEN ...
ALS JE NIKS TEGEN ME ZEGT, VERZWIJG JE IETS VOOR ME!
WAAAAAA
SPARTEL

CLAC
DAI-SUKE.
HIER IS DE THEE ...
KASHANG
ARGH.
...!
Twee jongens ...
... in elkaars armen ...
NEEM ...
KYAAA
NEEM ME NIET KWALIJK! GA VOORAL DOOR!
STOOR JE NIET AAN MIJ! MEVROUUUW!
HÈ? EEUWIGHEID? WAT IS ER ...?!
MAAR... WACHT 'NS...

DA'S KRANK-ZINNIG!
HEBBEN JULLIE TROUWENS EEN DIENST-MEISJE?!
EEN ECHT DIENST-MEISJE?!
GHAK
GHAK
'T IS STUITEND, ZO VEEL GELUK ALS JIJ HEBT!
niemand luistert naar me ...
...
KRII
TER ZAKE.
WEET JE WAT ER MET RISA HARADA IS GEBEURD?
RISA?
DE POLITIE IS NAAR HAAR OP ZOEK.

DE POLITIE?
'T IS VERTROUWELIJK. IK HOORDE 'T VAN M'N OUWEHEER. ZE SCHIJNT SPOORLOOS TE ZIJN VERDWENEN.
IK LIEP DAARSTRAKS LANGS HET HUIS VAN DE HARADA'S.
T IS DAAR T HELEMAAL PLUIS.
HARADA
DUS ...
... DIT IS WAT IK ERVAN WEET.
TOEN JIJ MET RIKU IN AZUMANO JOYLAND WAS...
... SCHIJNT RISA...
... ER OOK TE ZIJN GEWEEST.

BOVEN-
DIEN HEB-
BEN ONZE
INFOR-
MANTEN
...
... DIE DAG
DARK IN HET
PRETPARK
GEZIEN.
SOMMIGEN
DENKEN
DAAROM
...
... DAT DARK
DEGENE IS
...
... DIE DE JONGSTE
HARADA HEEFT
ONTVOERD.

EEN DING IS ZEKER: DARK VERSCHEEN ...
... EN RISA HARADA VERDWEEN ...
ZE ZAT BOVEN IN HET REUZENRAD TOEN HIJ STIL BLEEF STAAN.
WIE ANDERS DAN DARK ...
... KON HAAR DAARBOVEN BEREIKEN?

NEE!
DARK IS EEN SPOOKDIEF. HIJ STEELT ALLEEN KUNSTVOORWERPEN!
DAT IS NIET WAAR!
HIJ ZOU NOOIT EEN MEISJE ONTVOEREN!
WIE DURFT ER ZULKE ONZIN TE VERKONDIGEN?
...!
RUSTIG MAAR.

IK BEN HET MET JE EENS!
"DARK, DE SPOOKDIEF", DIE IK ACHTER-VOLG...
... IS GEEN AFFE KID-NAPPER!
SAEHARA ...
DUS ...
... ALS DARK TEN ONRECHTE WORDT BESCHULDIGD ...
... S MIJN EER IN HET GEDING!

EN DAARO...
... HEB IK DARK UITGEDAAGD!
ALS JOURNALIST!!
ALS JIJ NIET DE WARE SCHULDIGE BENT, ZOEK HEM DAN!
EN RED ...
ZIF
... RISA HARADA!
Ziezo!
...
GOE...

DURFT HIJ MIJ UIT TE DAGEN?!
... GOED IDEE.
ja ...
DARK ZAL ER WEL OP REAGEREN ...
ALLEEN KAN HIJ ME NU NIET HELPEN.
DUW DUW
'T IS EEN ECHTE LEFGOZER.
HIJ ZAL MIJN PROVOCATIE NIET KUNNEN WEERSTAAN.
HI HI
Ah
DAT ZAL IK JE BETAALD ZETTEN ...
ER ZIJN TROUWENS MOMENTEN ...
... DAT JE ME EEN BEETJE ...
... AAN HEM DOET DENKEN.

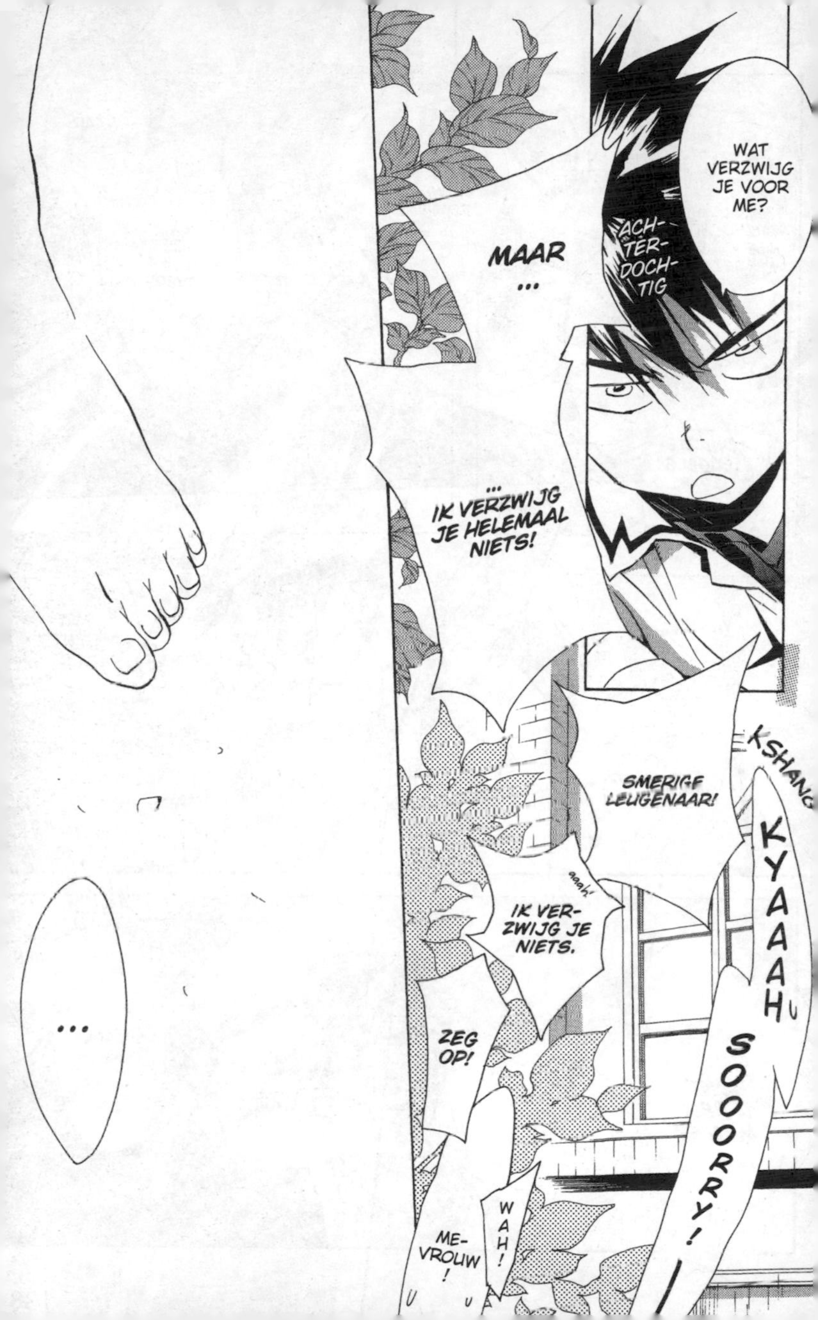
WAT VERZWIJG JE VOOR ME?
ACH-TER-DOCH-TIG
MAAR ...
... IK VERZWIJG JE HELEMAAL NIETS!
SMERIGE LEUGENAAR!
KSHANG
KYAAAAH
SOOOORRY!
IK VER-ZWIJG JE NIETS.
ZEG OP!
WAH!
ME-VROUW!
...

WAAR ...
... HEBT U HET OVER?
WAT ZIJN DIE ...
... "ZWARTE VLEUGELS" ?
WAT BENT U...
... EIGENLIJK VOOR IEMAND?
IK BEN ...
... "ARGENTINE".
GEWOON "ARGENTINE".
BENT U EEN MENS?

NEE, IK BEN GEEN MENS.
"ZWARTE VLEUGELS" ...?
... OOK NIET.
"ZWARTE VLEUGELS" ...
... IS...
... DARK ...
... EN KRAD, VERENIGD.

EN ...
... STEL ...
... DAT IK...
... EEN MONSTER WAS ...
IS DARK ZWARTE VLEU- GELS ?!

HIJ IS GEEN MENS.
HOU OP!!

RIKU !!
RIKU !!
RIKU !!
HOU VOL !!
RIKU !!
RISA …
WAAR BEN JE, RISA?!

GNN...
'T IS MISSCHIEN BETER DAT JE HAAR NIET BEZOEKT, DAISUKE.
...
IK WIL HAAR ZIEN.
MAAR ...
... IK MOET HARADA ZO SNEL MOGELIJK REDDEN.

WE WETEN NIET EENS OF ALLES GOED MET HAAR IS.
MISSCHIEN LOOPT ZE GROOT GEVAAR.
EN OM RIKU MOET IK OOK ...
JE LIJKT ME NOGAL IN DE WAR. DENK JE DAT HET ZAL LUKKEN?
KUN JE HET ALLEEN AAN?
!!
IK ...
... IK WEET DAT IK ER ALLEEN VOOR STA!
AAN JE KOP ZEUREN?!
IK MAAK ME OPRECHT ONGERUST OVER JE EN DAT IS MIJN DANK?!
ZEUR NIET ZO AAN MIJN KOP!!
JE HOEFT JE NIET ONGERUST TE MAKEN!

IK HEB JOUW HULP NIET NODIG!
HA!
STRAKS MOET IK JE WEER UIT DE BRAND HELPEN!
NIETES!
IK HOEF NIET...
ZRUH
...?

WAAAAH!
CHOP
STORT
DAT WAS OP 'T NIPPERTJE...
ZWIEP
ZWIEP
IK WAS BIJNA GEVALLEN.
...!

FSAF
FSAF
FSAF
...
HÈ?!
HIWATARI ...?!

OOK TOEVALLIG DAT IK JOU HIER ZIE!
TAP
TAP
NEE.
'T IS GEEN TOEVAL ...
... IK WAS NAAR JE OP ZOEK.
IK MOET JE SPREKEN.
WAAR-OVER?

JE WOU TOCH ...
... ARGENTINE VINDEN?
...
HÈ?
WAT VOERT HIJ IN ZIJN SCHILD?
WAT WIL HIJ VAN ME?
IK WEET WAAR ZE IS.

WAAROM SLAAN WE DE HANDEN NIET INEEN...
... NIWA?
☆ HOOFDSTUK 17 ☆ EINDE

PERS
KORT VERHAAL 1

DAG, ALLE-MAAL!
BI BI BI BI BI
VANDAAG GA IK JE VERTELLEN HOE EEN DOORDE-WEEKSE DAG VAN DAISUKE ERUITZIET.
BAOUM
ZOEP
BI
BIP
AAAH...
DUIZEL
'T IS AL OCHTEND.
DAISUKE BEGINT ZIJN DAG ...
... MET GEVAAR VOOR EIGEN LEVEN.
GEH!
FSAAA
Z
zag het aankomen.
ZE GAAT ER METEEN HARD TEGEN-AAN.
HN?
LAATSTE PROEF: BINNEN EEN SECONDE AANKLEDEN.

BINNEN EEN SECONDE AANKLEDEN?!
EN WAAROM DAN WEL ?!
SWAP
SWAP
GOEDE-MORGEN!
VLAM
ZIF
0.58 SEC
DAISUKE IS DE JONGSTE TELG VAN DE NIWA'S DIE VAN GENERATIE OP GENERATIE SPOOKDIEVEN ZIJN.
ZANGERS EN NINJA'S KLEDEN ZICH NIET VLUGGER AAN.
EN TOCH MOET IK JE ÉÉN PUNT AFNEMEN!
VOOR DIE WILDE HAARDOS!
AH!
EEN SPOOKDIEF MOET ALTIJD ELEGANT ZIJN, ZELFS ALS HIJ UIT BED STAPT!
Ik ga het
klaar-maken
ELE-GANT?
Zoals ik me nu voel?
FSAA
ZO-DOENDE ...
WAAROM MOET IK DIT ALLEMAAL VERDRAGEN?
... MOET DAISUKE ELKE DAG DE TRAINING ONDERGAAN DIE ZIJN MOEDER VOOR HEM UITSTIPPELT!
kamt zijn haar.

DAN GA IK MAAR.
MAAR ...
... DAT IS VLUGGER GEZEGD DAN GEDAAN.
HÉ!
KNAL
WELKE BOOBYTRAPS HEEFT ZE NU WEER OP DE TRAP GE-LEGD?
BOEM
KLAN
KLAN
KLAN
BOM BOM BOM
WAF WAF WAF
DONG
DING
RAAH, NIET TE GELOVEN!
R... RUSTIG, RIKU. MAAK 'M NIET KAPOT.
VUM
VUM
VUM
WAT IS ER ?
RISA IS DE SLEUTEL VAN HAAR DAGBOEK KWIJT.
Hij wil niet open.
Hoi.
GNN GNN GNN
Hoi.
DE SLEU-TEL?
LAAT MIJ 'NS KIJKEN.
DOE GEEN MOEITE. IK KRIJG 'M ZELFS NIET MET EEN TANG OPEN.
't Is echt stevig.
SWLIP
IK PRO-BEER 'T GE-WOON.
TAK
TAK
TAK

OPEN.
'T IS NIET WAAR?!
HEB JE 'M ECHT OPEN?
JE HAD 'M ZEKER AL EEN EIND LOSGE-MAAKT.
Alsje-blieft.
BE-DANKT, NIWA!
GAAF!
IS HIWATARI ER NIET? DES TE BETER.
NIE-MAND HEEFT ME GE-ZIEN.
...
HIJ ZAG HET.
KNAP GEDAAN, NIWA.
ドキ
HYUOOO
ZO KOMT
OP DISCRETE WIJZE MENSEN TE HULP.
hij is een virtuoze goochelaar en een expert in tover-ringen.
MAAR DIT TALENT MOET HIJ ABSOLUUT GEHEIM-HOUDEN.
HIJ IS ERG HANDIG.
Fantastisch!

DIT VALT NIET MEE.
OEF!
DAISUKE WEET DE VALSTRIKKEN VLUG ONSCHADELIJK TE MAKEN.
Vervelend, hoor.
GZIIII
En ik doe nog zo mijn best.
VROEGER TRAPTE HIJ ER NOG WEL EENS IN.
MAAR KINDEREN MOETEN GROOT WORDEN.
OUDERS DOEN HUN BEST OM HUN KINDEREN VLUG STERK TE LATEN WORDEN!
MOEDERLIEFDE
"ALS JE IEMAND LIEFHEBT, SPAN JE VALSTRIKKEN VOOR HEM!"
Zo zijn ouders.
MEVROUW, DA'S NIET 'T JUISTE GEZEGDE ...
EMIKO ...
EH... ER ZIT ME IETS DWARS ...
WAAR HEB JE DE HOND GELATEN DIE ACHTER DAISUKE AAN ZAT?
'T IS NU GEEN HOND, HOOR!
DAT VROEG IK NIET.
WAAR ...?
VANDAAG HEB IK EEN KROKODIL LOSGELATEN! ♡
UUUUH
HEEEEEE
AAH

JOEPIE JOEPIE ♡
Aan tafel! ♫
EEN KROKO-DIL?!
IK BEDIEN MEZELF, ZOALS GEWOONLIJK!
VERVLOEKTE DARK!!
Voor deze diefstal had hij maar één plaatje nodig!
DAISUKE HEEFT 'T ALTIJD DRUK MET ZIJN SCHOOLWERK EN ZIJN KLUSJES ALS SPOOKDIEF.
Na school heb ik meteen weer een diefstal gepleegd.
VLAM
Ik ben doodop.
BETEKENT DIT GELUID EINDELIJK RUST VOOR HEM?
BIP
BIP
!
....

SHHHHHH
BOM
KLAK
EEN BERICHT VAN RIKU.
PSOF
AAAAH
MIJN SCHOOLTAS!!
Waarom zit er een gat in mijn bed?!
TRAAN
ZO EINDIGT DE DAGELIJKSE LIJDENSWEG ... DIE ZO MOEILIJK TE BESCHRIJVEN IS.
IK HEB JE TE PAKKEN, DAISUKE!
MIJN SCHOOLBOEKEN ?!
HO HO HO HO HO HO
Waarom teken je de rest niet?
De bladzijden zijn op.
O ja?
Ja.
HA
EEN KROKODIL ...
Ik kom je redden, zoon!
Wat is er, Kosuke?
?
KORT VERHAAL 1 - EINDE

Happy Birthday! DAISUKE♥
KORT VERHAAL 2
Bedankt mama
?
STAAR...

DARK
?
IS HIJ AL
1000 JAAR?
OF MISSCHIEN
2000 JAAR?
?
!
?!
?!
Schetsboek

voor
Dark
...
JONGENS
?!
KUCH
MEISJES

'S OCHTENDS
?
Dank je wel
KORT VERHAAL 2 - EINDE

DAT STAAT JE ECHT GOED! ♡
OOOH...?
VIND JE?
IS 'T NIET EEN BEETJE RAAR?
WELNEE! 'T IS SUPER-LEUK!
Meestal zie je er altijd hetzelfde uit als ik ♡
WIL JE MORGEN ZO NAAR SCHOOL GAAN?
Ik zal je haar opma-ken ...
Waarom niet...?
HMM
DE DAG DAAROP
OH.
RIKU!
KORT VERHAAL 3
NIWA!
HOI!
TAP TAP
HOI!
HOI, HA-RADA.
HOI.
EN JE OCHTEND-TRAI-NING?
VAN-DAAG NIET.
ZE IS EEN BEETJE ANDERS ...

SMILE
TODOM
TODOM
TODOM
SMILE
SMILE
...
TODOM
TODOM
TODOM
ZIET HIJ NIETS AAN ME?!
GRRRRR
...
EH...
Voelt de spanning stijgen.
RIKU... SCHEELT ER IETS?
SLIK
SLIK
HÈ?
WAT?
GRMF
NIET TE GELO-VEN!
GRMF
?
WAT EEN BOTTE-RIK!
Hij weet 't, maar zegt niets.
HO
HO
HO
?

HIJ MOET HET TOCH GEZIEN HEBBEN?!
WAT EEN LOMPERD!
HO HO HO
Niwa!
AL HAD I STEKE TJES.
... OF EEN BILJART-BAL...
NIWAAA!
... OF EEN AFRO-KAPSEL, HIJ ZOU NIETS MERKEN!
RIKU
KOF
KOF
KOF
WAT HOEST JE!
BEN JE VERKOU-DEN?
IDIOOT
Steek me niet aan!
Ik word horendol van je.
ALS JE EEN VENT WAS, HAD JE HET GEZIEN!
WAT DAN?
ALS JE NIETS ZIET ...
... ZEG DAN TENMINSTE: "HET STAAT JE SUPER-GOED."
HET ... HET STAAT JE SUPER-GOED ?!
Nu is 't genoeg! Verander jezelf in mij!
VLUCHTIGE BLIK

AAAAH!
ik zie 't ook!!
RIKU!
DRAAI
JE HEBT EEN NIEUW KAPS...
BLAM
DONK
HIII, JE MAAKT ME VERLEGEN!!
hou je mond!
AAH ...
Kyaah! Niwa! Sorry!
MEISJES ZIJN INGEWIKKELD.
EN RIKU IN HET BIJZONDER.
DE DAG ERNA
verder
Eh... wat is dat voor kapsel?
Wel ...
KORT VERHAAL 3 - EINDE

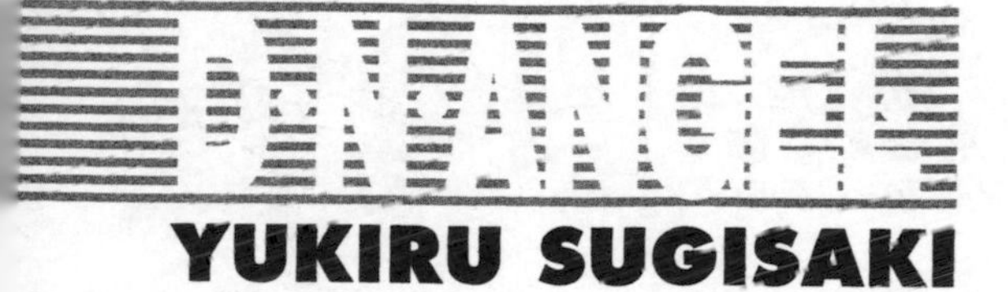

YUKIRU SUGISAKI

STAFF

MAMORU SUGISAKI

A.NAKAMURA

S.SHIMOZATO

Y.HONZAWA

J.OKU

R.IZUMI

M.NAKAMURA

Y.HISHINUMA

A.KASUGA

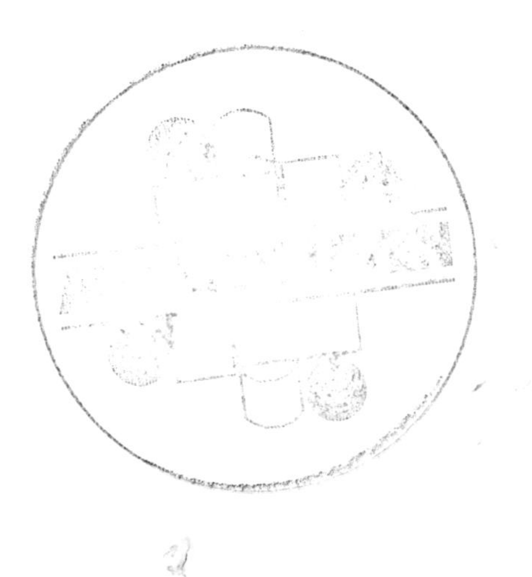